Mes années
POURQUOI

La nature

texte de
Sandra Laboucarie

illustrations de
Sonia Baretti
Pierre Caillou
Katia de Conti
Charlotte Roederer

MiLAN

Le sommaire

écrire — Tous les noms de cette imagerie sont présentés avec leur article défini. Pour aider votre enfant à mieux appréhender la nature des mots, les verbes et les actions sont signalés par un cartouche.

? — Pour vérifier les acquis et permettre à votre enfant de s'évaluer, une double page « Voyons voir… » est présente à la fin de chaque grande partie.

Ab — Retrouvez rapidement le mot que vous cherchez grâce à l'index en fin d'ouvrage.

En bas de chaque planche se trouvent des renvois vers d'autres pages traitant d'un sujet complémentaire. Ainsi, vous pouvez varier l'ordre de lecture et mieux mettre en relation les savoirs.

Les paysages

✿ Dans le jardin

On peut observer la nature dans le jardin :
de nombreuses plantes y poussent.
On y trouve aussi beaucoup de petites bêtes.

le gendarme

le hérisson

le lézard

l'escargot

la coccinelle

tailler la haie

s'allonger dans l'herbe

la pâquerette

l'arrosoir

le papillon

faire un bouquet

le bourdon

planter des pensées

la jardinière

le lilas

la terre

la taupe

le ver de terre

les racines

le merle

le cerisier
en fleur

la tourterelle
turque

le rouge-gorge

toucher les
écorces

le bouleau

ramasser
des bâtons

faire un tableau

le trèfle

souffler sur
un pissenlit

tondre

observer
les oiseaux

le campagnol

C'est quoi,
la nature
?

La nature est partout autour
de toi! Les arbres, les fleurs,
les petites et les grosses bêtes,
tous sont vivants!

La nature, c'est aussi le vent,
la pluie, la chaleur du soleil,
l'air que tu respires... tout
ce qui n'a pas été fabriqué.

Grâce à la nature, l'homme
produit des objets, de la
nourriture... Mais attention
à ne pas la détruire!

Les oiseaux du jardin **32**

Le potager **74**

9

À la campagne

À la campagne, on voit peu de maisons et aucun immeuble! On y trouve de grandes prairies, des bois, des ruisseaux, des champs de céréales...

le muret

se promener

le chardon

le bouton-d'or

les coquelicots

le chemin

le champ de tournesols

la botte de foin

le champ de blé

la terre labourée

des champs de toutes les couleurs

les arbres

chercher des champignons

les fougères

les ronces

le bois

les rochers

la cascade

pêcher à l'épuisette

tremper les pieds

les galets

le courant

le ruisseau

Pose ta main sur ta poitrine, à gauche, tu sens ton cœur battre. Et devant tes narines, tu sens ton souffle. Tu es bien vivant !

Un être vivant, c'est quelqu'un ou quelque chose qui vit : une plante, un animal...

Tout ce qui est vivant naît, grandit, se reproduit et meurt. Comme toi !

L'agriculture **72**

11

🏢 En ville

En ville, il y a beaucoup de constructions et du béton.
Mais la nature n'est jamais très loin : au coin de la rue,
à la fenêtre, sur un balcon ou encore dans le parc.

la ruche

le pigeon

la jardinière

le géranium

la souris

le pissenlit

le platane commun

le marronnier d'Inde

le rat

Peut-on
cueillir les fleurs pour faire un bouquet ?

l'arbuste

le parc

le massif de fleurs

le moineau

Servez-vous

la chélidoine

le potager à partager

Dans le jardin ou en promenade, tu as envie de cueillir des fleurs : leurs couleurs sont si jolies !

Attention! Certaines sont si rares qu'on doit les protéger : on n'a pas le droit de les cueillir!

Et, dans un vase, les fleurs vont vivre moins longtemps que si tu les laisses pousser dans la nature.

Les forêts

Il y a plusieurs sortes de forêts : elles abritent des arbres, des plantes et des animaux différents.

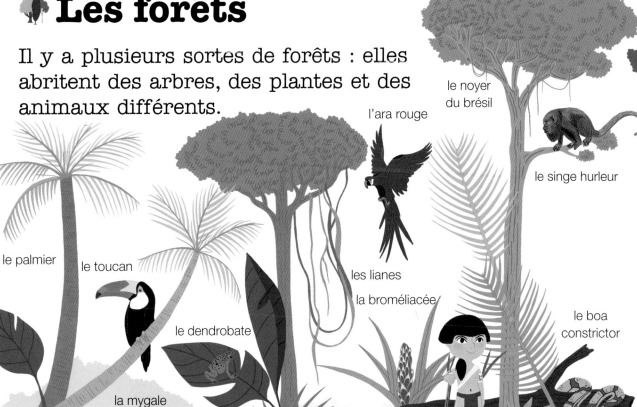

le noyer du brésil

l'ara rouge

le singe hurleur

le palmier

le toucan

les lianes

la broméliacée

le dendrobate

le boa constrictor

la mygale

la forêt tropicale des pays très chauds (Brésil)

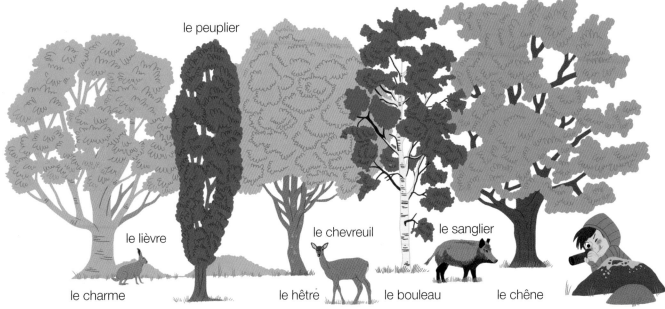

le peuplier

le lièvre

le chevreuil

le sanglier

le charme

le hêtre

le bouleau

le chêne

la forêt tempérée des pays où il fait chaud l'été, froid l'hiver (France)

le cèdre
du Liban

le pin parasol

les mouflons

la cigale

le chêne
vert

le romarin

le thym

la lavande

l'érable de
Montpellier

la couleuvre

la forêt méditerranéenne

l'épinette
noire

le pin
gris

la chouette
lapone

le mélèze

le caribou

l'ours noir

le castor

le peuplier baumier

le bouleau

la forêt boréale des régions très froides

Dans la forêt, tu aimes bien ramasser des feuilles, des glands, de la mousse, des petits cailloux.

Chez toi, tu peux faire des collections : un pot pour les trésors de l'été, un autre pour l'automne...

automne

été

Scotche les fleurs séchées et les feuilles dans un cahier. Écris leur nom et la date de ta balade. Voilà un joli herbier !

La vie d'un arbre **56**
Les familles d'arbres **58**

15

À la montagne

Les montagnes sont les endroits les plus hauts de la planète. L'hiver, il y fait très froid. Mais des animaux et des plantes y vivent.

l'aigle royal

l'ours brun

la marmotte

le hêtre

le grand tétras

le blaireau

la gentiane acaule

le rat-trompette

l'orchidée

le loup

le pipit spioncelle

16

le bouquetin

l'edelweiss

lo lagopèdc alpin

le chamois

l'hermine

l'épicéa

le lynx

la soldanelle

le gypaète barbu

l'arnica

le vautour fauve

le mélèze

les myrtilles

Est-ce
qu'on peut faire de l'art avec la nature ?

Quand tu te promènes, tu vois plein de couleurs différentes : du vert, du jaune, du marron, du rouge, du gris…

Tu peux aussi trouver de nombreuses formes : des bâtons bien droits, des pierres rondes…

En regroupant des pierres, des bâtons, des fleurs, tu peux aussi créer des tableaux. Cet art s'appelle le « land art ».

Dans l'eau

Des animaux et des plantes vivent aussi dans l'eau qui peut être douce ou salée.

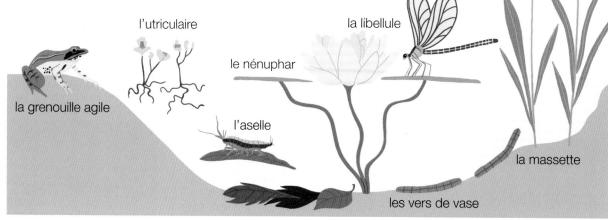

l'utriculaire

la libellule

le nénuphar

la grenouille agile

l'aselle

la massette

les vers de vase

la mare (eau douce)

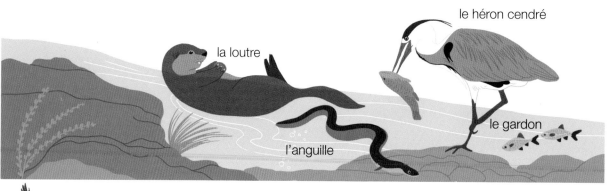

le héron cendré

la loutre

l'anguille

le gardon

la rivière (eau douce)

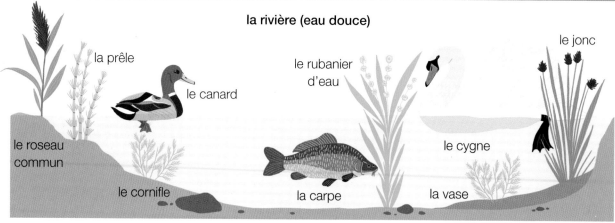

le jonc

la prêle

le rubanier d'eau

le canard

le roseau commun

le cygne

le cornifle

la carpe

la vase

l'étang (eau douce)

le cormoran huppé

la vague

la méduse

le sprat

les moules

les algues

le crabe

la murène

la mer (eau salée)

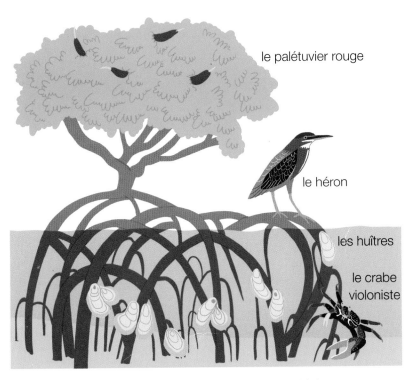

le palétuvier rouge

le héron

les huîtres

le crabe violoniste

la mangrove (eau douce et eau salée)

Pourquoi
l'eau de mer est salée
?

Si tu bois la tasse en te baignant dans la mer, tu vas trouver que l'eau a un drôle de goût : elle est salée.

Le sel a été arraché aux roches terrestres par de fortes pluies, il y a très longtemps. Puis l'eau l'a entraîné dans la mer.

Certains animaux peuvent vivre dans une eau aussi salée. Les gardons préfèrent l'eau douce des rivières.

Les poissons **40**

⚠ La nature en danger

Les hommes ne font pas toujours attention à la nature. Ils l'abîment en polluant l'air ou en détruisant des endroits sauvages.

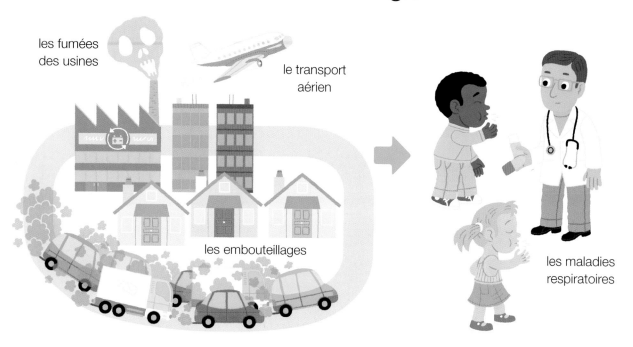

les fumées des usines

le transport aérien

les embouteillages

les maladies respiratoires

la pollution de l'air

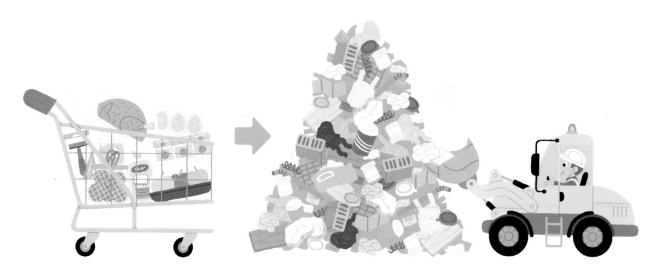

des produits emballés

beaucoup de déchets à détruire

Pourquoi
les poubelles sont de plusieurs couleurs ?

abattre des forêts entières
pour planter du soja

tuer des animaux

détruire
leur habitat

jeter ses déchets dans la mer, c'est mettre
en danger les animaux et les plantes

Quand tu dois jeter une bouteille en plastique, tu ne sais peut-être pas toujours dans quelle poubelle la mettre.

Chaque couleur correspond à une famille de déchets. Ici ceux qui ne sont pas recyclés vont dans la grise, par exemple.

Mais ta bouteille peut être recyclée! Sais-tu qu'on peut fabriquer un pull avec plusieurs bouteilles en plastique recyclées?

Protéger la nature **22**
Les poissons **40**

🐦 Protéger la nature

On peut décider de faire attention à la nature.
Ces gestes simples peuvent devenir
une habitude avec un peu d'entraînement.

éteindre
la lumière

couper l'eau
du robinet

prendre une douche
plutôt qu'un bain

débrancher
la télévision
en veille

baisser
le chauffage

trier les
déchets

dessiner
des deux côtés
d'une feuille

garder les
épluchures pour
le bac à compost

se déplacer à pied
ou à vélo

donner des habits
trop petits

l'abri pour
les oiseaux

la haie sauvage

le nid

attirer les papillons,
les abeilles

la prairie
sauvage

le bac à compost

les fleurs

une petite
mare pour
les amphibiens

récupérer l'eau
de pluie

l'hôtel à
insectes

Comme toi, une plante a besoin d'eau pour vivre. Si elle n'a pas assez d'eau, elle meurt.

S'il ne pleut pas et s'il fait très chaud, on arrose donc son potager, plutôt le soir.

Il existe des techniques pour arroser le moins possible. Le paillage, par exemple, retient l'eau dans la terre.

Voyons voir...

Ces animaux vivent dans la forêt tropicale, sauf un. Lequel?

le toucan

le dendrobate

la mygale

l'ara rouge

le singe hurleur

l'ours noir

le boa constrictor

Avec ton doigt, remets chaque animal à sa place.

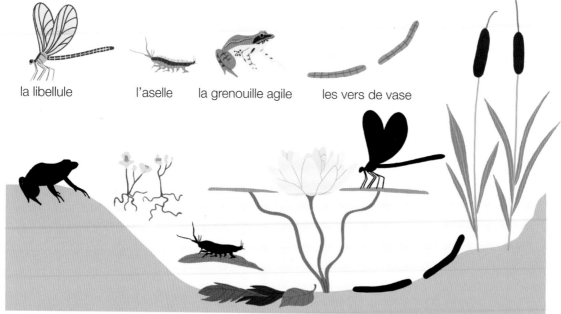

la libellule   l'aselle   la grenouille agile   les vers de vase

24

Qu'est-ce qui pollue l'air? Relie les causes de la pollution à leur illustration.
Sais-tu quelles maladies sont provoquées par la pollution?

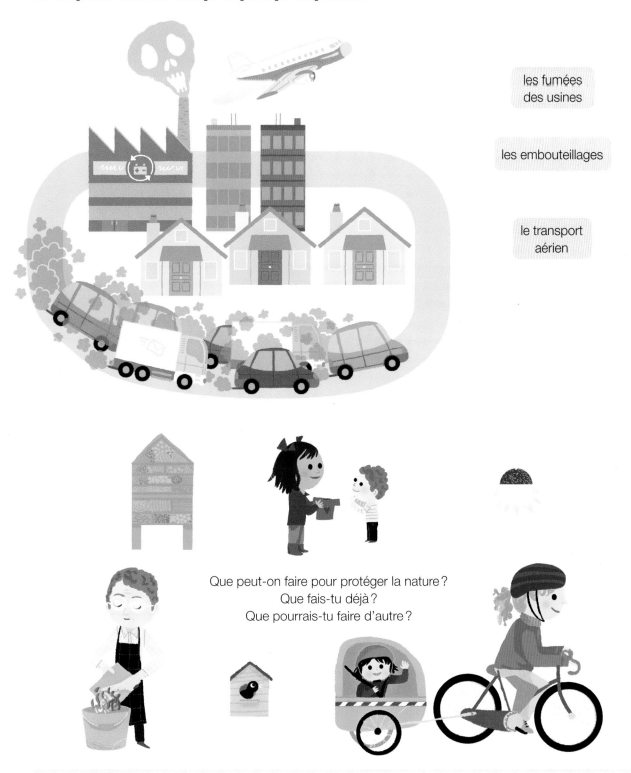

les fumées
des usines

les embouteillages

le transport
aérien

Que peut-on faire pour protéger la nature?
Que fais-tu déjà?
Que pourrais-tu faire d'autre?

Les animaux

Être ovipare

Certains animaux pondent des œufs :
ce sont des ovipares.

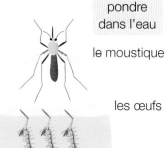

le moustique

les œufs

les larves

couver

le pigeon

l'œuf

le manchot

l'alevin

le poisson rouge

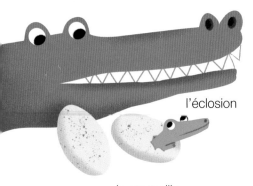

l'éclosion

le crocodile

la tortue

le calmar

l'escargot

la poule

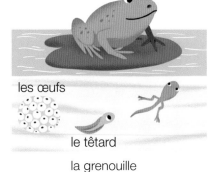

les œufs

le têtard

la grenouille

Être vivipare

Chez les vivipares, les bébés sortent du ventre de leur maman.

le chat

le lapin

le chien

la souris

l'ours

l'éléphant

le cheval

le dauphin

Tu n'aimes sans doute pas beaucoup les moustiques : quand ils piquent, un bouton apparaît. Ça gratte! C'est désagréable!

Mais les moustiques peuvent être utiles : ils servent de nourriture à d'autres animaux, comme les chauves-souris.

Cependant, en Afrique et en Asie, les moustiques peuvent aussi transmettre de graves maladies. Il faut alors les tuer.

Les mammifères **34**
Les amphibiens **38**

🐝 Les insectes

Les insectes ont tous six pattes.
Leur corps est composé d'une tête,
d'un thorax et d'un abdomen.

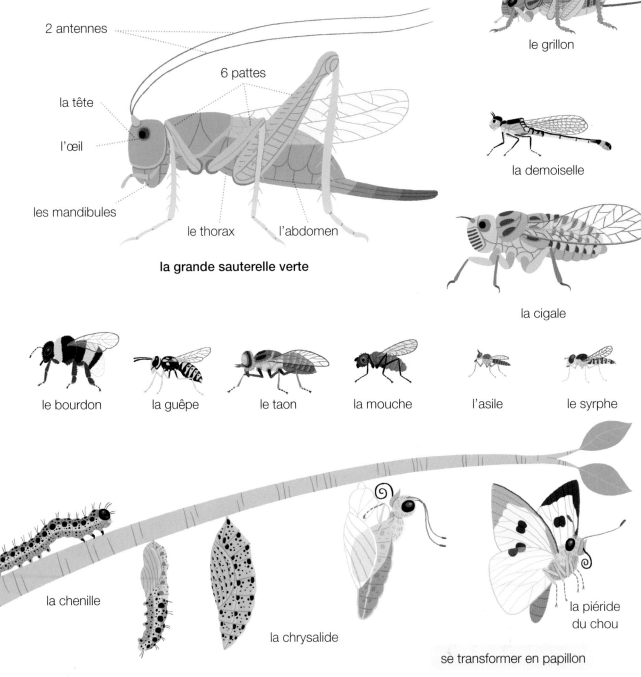

2 antennes

la tête

l'œil

les mandibules

6 pattes

le thorax   l'abdomen

la grande sauterelle verte

le grillon

la demoiselle

la cigale

le bourdon   la guêpe   le taon   la mouche   l'asile   le syrphe

la chenille

la chrysalide

la piéride
du chou

se transformer en papillon

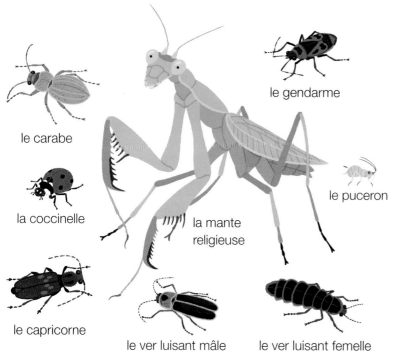

le carabe

le gendarme

la coccinelle

le puceron

le capricorne

la mante religieuse

le ver luisant mâle

le ver luisant femelle

les papillons

l'azuré de la bugrane

le myrtil

le machaon

le paon du jour

le sphinx du troène

As-tu déjà observé une abeille, une mouche ou un moustique? Ils ont tous six pattes. Ce sont des insectes.

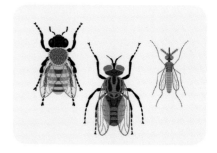

L'araignée, elle, a huit pattes. Elle n'a pas d'ailes ni d'antennes. Ce n'est pas un insecte. C'est un arachnide.

Il existe d'autres arachnides, comme le scorpion ou encore la tique, une minuscule petite bête qui suce le sang.

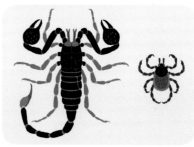

🐦 Les oiseaux du jardin

La plupart des oiseaux savent voler...
et marcher! On peut en observer
beaucoup dans le jardin.

des plumes

l'hirondelle de fenêtre

un bec

2 ailes

2 pattes

la buse

les oisillons

manger
un ver

la mésange
charbonière

boire

la tourterelle
turque

faire sa
toilette

le moineau
domestique mâle

le rouge-gorge
familier

le moineau
domestique
femelle

le pinson
des arbres

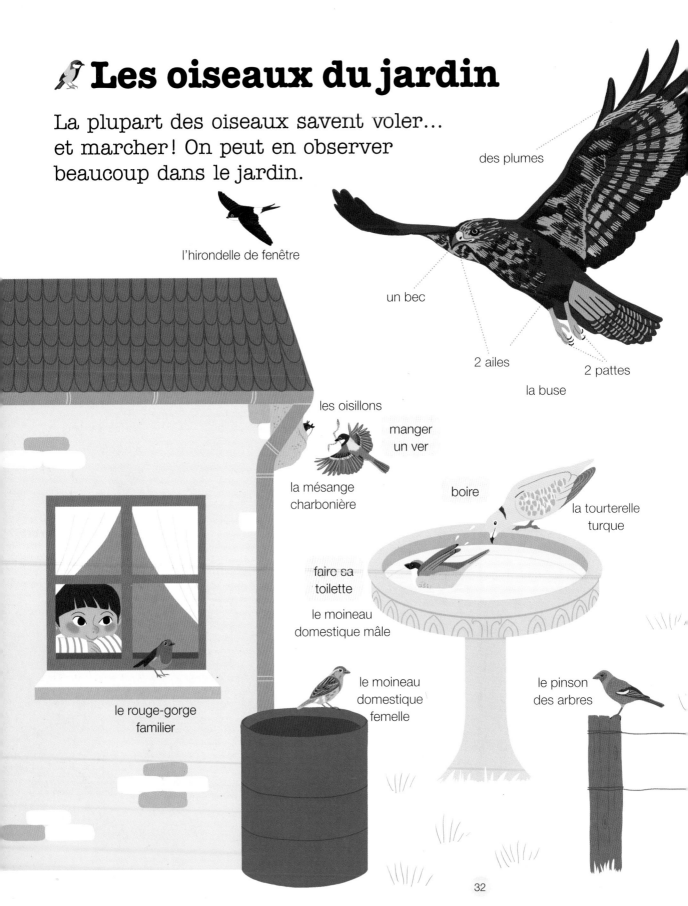

la pie bavarde

le bruant zizi

le merle noir femelle

le nid

la mésange bleue

le merle noir mâle

picorer

le pic vert

le geai des chênes

la grive musicienne

Tu vois des oiseaux voler de branche en branche ou en groupe très haut dans le ciel.

Les oiseaux volent pour se déplacer : pour aller chercher de la nourriture ou pour fuir un danger.

Quand l'hiver arrive, certains partent vers des pays plus chauds. Ce sont des migrateurs. Ils reviennent au printemps.

🐼 Les mammifères

Les mammifères ont des poumons pour respirer. La femelle a en plus des mamelles pour allaiter son petit.

sur terre

des poils

des écailles

des épines

le hamster

le pangolin

le hérisson

la pipistrelle

le renard

le loup

la musaraigne

le maki catta

le paresseux

le tigre

la girafe

le panda

sortir du ventre de la maman

naître et aller dans une poche

allaiter son bébé

téter

la lionne

le kangourou

le gorille

l'ânesse

dans l'eau

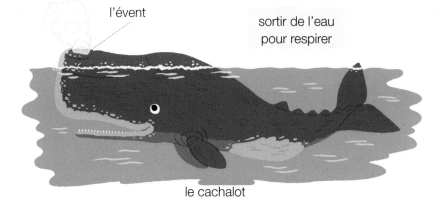

le morse

l'évent

sortir de l'eau
pour respirer

le cachalot

le narval

le lamantin

le dugong

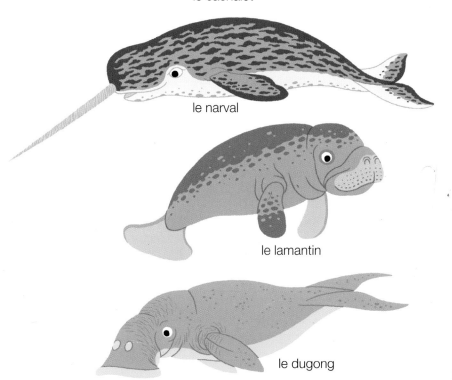

Avant de naître, le bébé a grandi
dans le ventre de sa maman.
Après sa naissance, il peut boire
le lait de sa maman.

L'homme est donc bien
un mammifère, comme le chat,
le chien, le lion ou même
la baleine !

Les mammifères sont
un grand groupe d'animaux
comme les reptiles, les insectes
ou les oiseaux.

Être vivipare **29**

🐍 Les reptiles

Les reptiles se déplacent en rampant. Certains ont de courtes pattes écartées sous le corps. Beaucoup vivent dans des pays très chauds.

l'alligator

le gavial

le gecko

le serpent corail

la tortue géante des Galápagos

le caméléon

le lézard des murailles

la cistude

le python réticulé

le varan de Komodo

Les dinosaures sont des reptiles, comme les serpents. Mais ils ont disparu depuis très longtemps.

la couleuvre à collier

le tricot rayé commun

On sait qu'ils ont existé, car des scientifiques ont retrouvé leurs traces dans le sol : des os, des œufs et même des crottes !

la vipère aspic

le crotale des bambous

le cobra

l'orvet

Tous ces restes s'appellent des fossiles : ils se sont transformés en roche au cours de millions d'années.

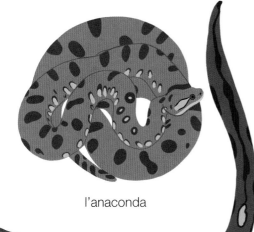

l'anaconda

le boa constrictor

la tortue de Floride

Les amphibiens

Les amphibiens commencent leur vie dans l'eau, puis se transforment en grandissant. Une fois adultes, ils vivent sur terre.

la rainette verte

une peau nue sans poils ni écailles

des pattes

le crapaud commun

manger un ver de terre

la salamandre tachetée

des œufs de grenouille

des têtards

des bébés grenouilles

porter les œufs

l'alyte accoucheur

le triton alpestre

le crapaud d'Amérique

la grenouille agile

le phyllobate terrible

le dendrobate

la grenouille taureau

le xénope lisse

Comment
classe-t-on
les animaux
?

Au Muséum d'histoire naturelle, tu peux découvrir des animaux différents. Il en existe des millions et des millions.

Les savants les ont regroupés selon leurs ressemblances. Ils étudient chaque nouvelle espèce pour savoir où la classer.

Quand ils trouvent une nouvelle espèce, ils la rangent dans une catégorie. Il leur en reste encore beaucoup à découvrir!

Être ovipare **28**

Les poissons

Les poissons vivent dans l'eau salée des mers et des océans, ou dans l'eau douce des lacs ou des rivières.

le poisson volant

dans les mers

l'ouïe

les écailles

des nageoires pour se déplacer

la daurade

l'hippocampe

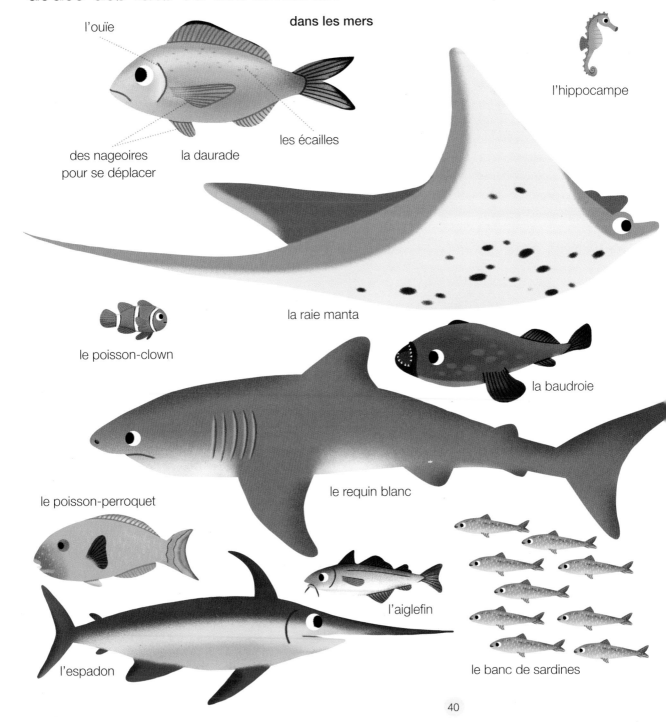

la raie manta

le poisson-clown

la baudroie

le poisson-perroquet

le requin blanc

l'aiglefin

l'espadon

le banc de sardines

dans les lacs et les rivières

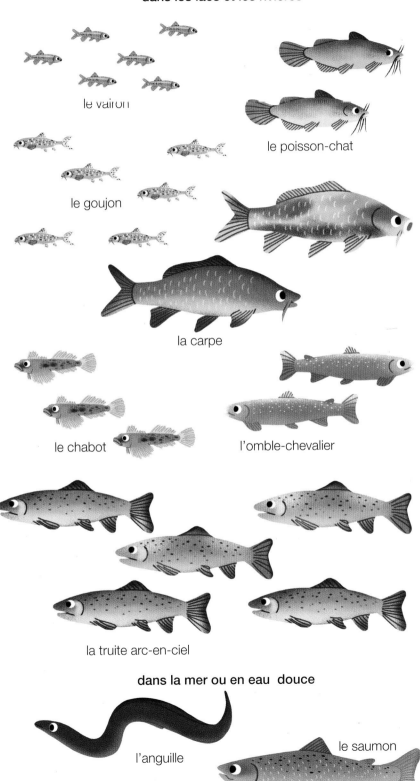

le vairon

le poisson-chat

le goujon

la carpe

le chabot

l'omble-chevalier

la truite arc-en-ciel

dans la mer ou en eau douce

l'anguille

le saumon

Les pandas en Asie, les ours blancs en Arctique, les requins dans l'océan, tous sont de moins en moins nombreux.

Beaucoup d'animaux sont en danger à cause des hommes, qui les tuent ou détruisent les endroits où ils vivent.

Mais d'autres hommes essaient aussi de les protéger, par exemple en interdisant la chasse d'animaux menacés.

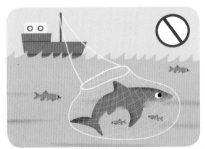

Dans l'eau **18**
Manger et être mangé **42**

Manger et être mangé

Pour survivre, un animal doit trouver de la nourriture dans la nature. Mais il sera mangé à son tour par un autre !

les graines

la fourmi

mange

mange

le renard

mange

le mulot

mange

le pêcheur

le gerris

mange

le rotengle

mange

le cyclops

le brochet

mange

mange

le champignon

la loutre

l'escargot

mange

mange

le hérisson

les feuilles

mange

le serpent

mange

l'araignée

mange

42

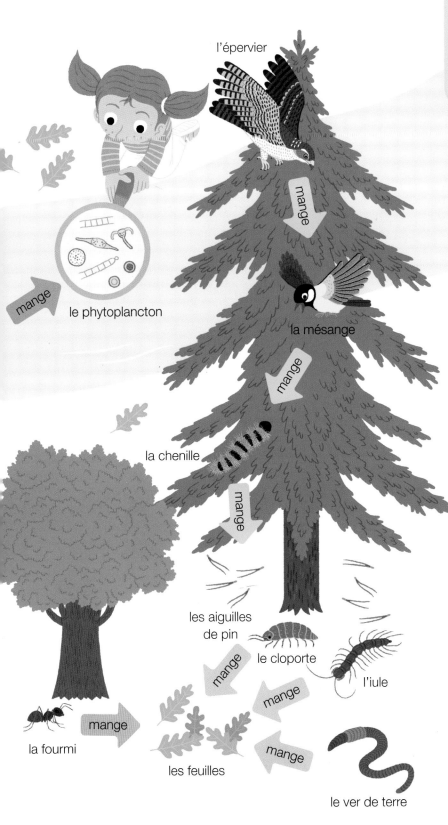

l'épervier

mange

le phytoplancton

mange

la mésange

mange

la chenille

mange

les aiguilles
de pin

le cloporte

l'iule

mange

mange

la fourmi

mange

les feuilles

mange

le ver de terre

En orcusant dans le sol,
tu trouveras peut-être un ver
de terre. Cette petite bête au
corps tout mou est très utile.

Le ver de terre creuse des
mini-tunnels dans le sol :
l'air et la pluie peuvent entrer.

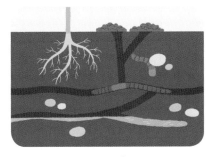

Même le pipi et le caca du ver
de terre aident à faire pousser
les plantes! C'est vraiment
l'ami du jardinier.

Les traces des animaux

Petits et grands animaux laissent
de nombreuses traces de leur passage.
Pour les voir, il suffit de bien ouvrir les yeux !

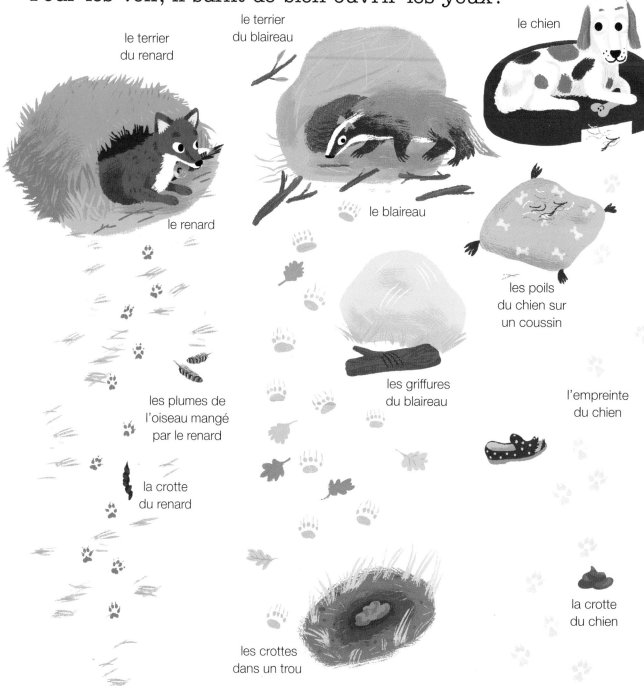

le terrier
du renard

le terrier
du blaireau

le chien

le renard

le blaireau

les poils
du chien sur
un coussin

les plumes de
l'oiseau mangé
par le renard

les griffures
du blaireau

l'empreinte
du chien

la crotte
du renard

la crotte
du chien

les crottes
dans un trou

le cheval
ferré

le crottin

le nid de
l'écureuil

la pomme de pin
grignotée par
l'écureuil

la mésange

la toile
d'araignée

la plume
de la mésange

les écailles
de pomme de
pin par terre

le nid dans
un tronc

le gland du
chêne mangé
par l'écureuil

la coquille
d'escargot
percée

45

Pourquoi

ne voit-on pas
souvent d'animaux
sauvages

?

Quand tu te promènes en forêt,
tu vois rarement des cerfs,
des sangliers, des renards...
Pourtant ils vivent là !

Les animaux sauvages ont peur
de nous, alors ils se cachent
dès qu'ils nous entendent,
nous voient ou nous sentent.

Si tu marches doucement, tu
pourras peut-être en apercevoir !
Tu peux aussi attendre qu'ils
sortent de leur cachette.

Entendre les animaux

Les animaux font du bruit! Certains appellent
une amoureuse, d'autres préviennent leurs copains
d'un danger ou encore crient qu'ils sont chez eux.

le pigeon roucoule

l'abeille bourdonne

la grive babille

le canard cancane

le coq chante

le chaton miaule

le mouton bêle

le chien aboie

le loup hurle

le cheval hennit

le crapaud coasse

la vache meugle

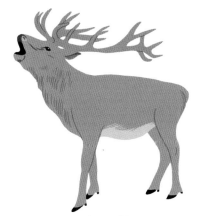

l'ours gronde

le cerf brame

le singe crie

le serpent siffle

le tigre feule

le lion rugit

le zèbre hennit

l'éléphant barrit

Comment
écouter les oiseaux chanter
?

Tu aimes écouter le chant des oiseaux ? Attire-les dans ton jardin ou sur ton balcon.

Tu peux planter des fleurs et des herbes aromatiques. Elles vont appâter les insectes, qui, eux, vont faire venir les oiseaux.

L'hiver, tu peux leur donner des graines dans des mangeoires. Tu peux aussi installer des nichoirs.

47

Élever des animaux

À la ferme, les paysans élèvent des animaux pour vendre leurs œufs, leur lait ou leur viande. Les animaux les aident aussi dans leur travail.

le poulailler

chercher les œufs

les poules

le coq

les poussins

la basse-cour

le potager

le chat

faire des fromages avec le lait

le laboratoire

la paille

soigner

le foin

traire

recueillir le lait

les chèvres

la chèvrerie

la salle de traite

le chien de berger

le bélier

la brebis

l'agneau

la laine

les moutons

la bergerie

les clapiers

les lapins

le cochon

la truie et ses petits

le bouc

les chevreaux

le cheval

C'est quoi, un animal sauvage ?

Tu as un chat ou un chien ? Ce sont des animaux domestiques : ils vivent avec les hommes. Ils ne sont pas sauvages.

Un animal sauvage vit en liberté dans la nature. Le lion, l'ours, le loup, le sanglier... sont des animaux sauvages.

Dans les zoos, on voit des animaux en captivité : ils sont enfermés.

L'agriculture 72

49

Voyons voir...

Qui mange qui? Avec ton doigt, indique quelle est la place de chacun. Qui est l'intrus?

le pêcheur   le brochet   le rotengle   le gerris

Avec ton doigt, redonne à chaque animal son empreinte... et sa crotte!

le renard

le blaireau

le chien

le cheval

Nomme chaque animal. Avec ton doigt, relie chacun à son cri.
Sais-tu imiter les aboiements du chien et le rugissement du lion?

miaule   meugle   brame   cancane   hurle   feule   hennit   barrit

Voici les différentes étapes de transformation
de l'œuf à la grenouille.
Remets les images dans le bon ordre.
Et toi, sais tu comment tu es né?
À quel âge seras-tu un adulte?

les têtards

les bébés
grenouilles

la grenouille taureau
adulte

les œufs
de grenouille

Les plantes

🍎 De la graine à la plante

Dans chaque graine, se trouve une future plante !
Pour se transformer, la graine a besoin de terre,
d'eau, de chaleur et de lumière.

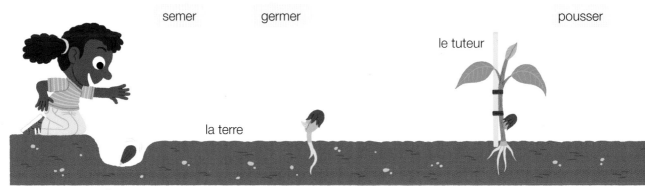

semer   germer   pousser

le tuteur

la terre

le pépin de pomme

semer   germer   pousser

la tige

chercher l'eau
grâce à ses racines

la graine de tournesol

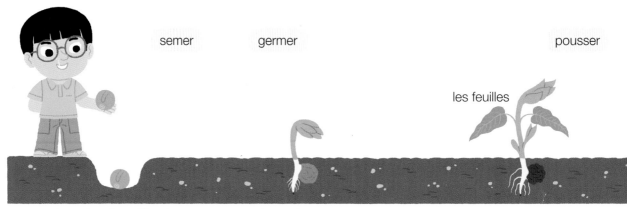

semer   germer   pousser

les feuilles

la graine de petit pois   les racines

les fleurs

le pommier

le fruit

fleurir

récolter

la fleur sèche

fleurir

gratter les graines

récolter

fleurir

la cosse

Qui
sème les graines dans la nature ?

Tu as semé des graines pour avoir des fleurs. Dans la nature, les animaux, le vent ou l'eau s'en chargent.

Le geai cache des glands pour les manger plus tard. Quand il en oublie un, un petit chêne pousse !

Quand tu passes près d'une bardane, un fruit peut se fixer à ton pull. Sans le savoir, tu transportes des graines !

L'agriculture **72**
Le potager **74**

La vie d'un arbre

Les arbres grandissent et grossissent lentement. Certains peuvent vivre plusieurs centaines d'années.

transpirer

le bourgeon

la feuille

la branche

rejeter l'oxygène

absorber l'oxygène

le tronc

les feuilles mortes

absorber le dioxyde de carbone

rejeter le dioxyde de carbone

l'humus

la sève circule dans tout l'arbre

l'écorce

prendre l'eau et la nourriture dans la terre

les racines

se fixer dans le sol

56

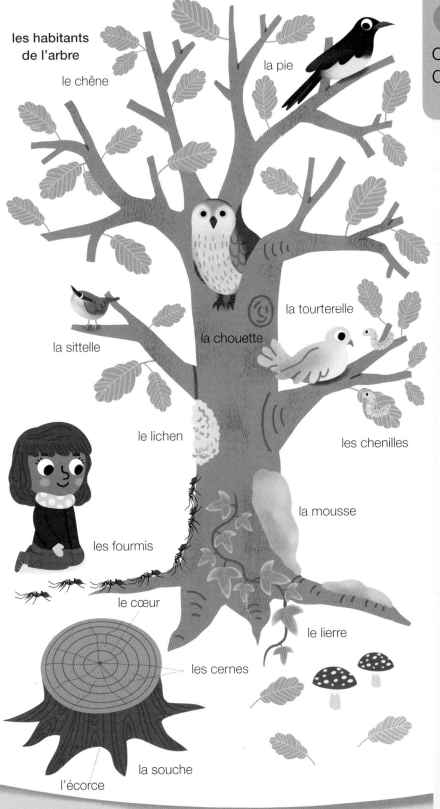

les habitants de l'arbre

le chêne

la pie

la tourterelle

la sittelle

la chouette

le lichen

les chenilles

la mousse

les fourmis

le cœur

le lierre

les cernes

la souche

l'écorce

Comment

connaître l'âge d'un arbre

?

Si tu observes la souche d'un arbre, tu peux voir des cercles. Ce sont les cernes de l'arbre.

Chaque année, le tronc de l'arbre s'épaissit : un nouveau cerne apparaît.

Pour connaître son âge, tu peux compter les cernes. 10 cernes = 10 ans, 20 cernes = 20 ans...

Les familles d'arbres

Il existe deux grands groupes : les feuillus
(avec des feuilles) et les conifères
(avec des aiguilles).

les feuillus

le tilleul

le bouleau

le noyer

le marronnier d'Inde

le platane

le saule

les conifères ou résineux

le cyprès

le pin parasol

le cèdre de l'Atlas

le sapin de Nordmann

Si tu mets ta main devant ton nez, tu sens ton souffle. Sans y penser, tu aspires et rejettes de l'air : tu respires.

Quand tu poses ta main sur un tronc d'arbre, tu ne sens pas d'air. Et pourtant l'arbre respire jour et nuit !

L'arbre respire grâce à de minuscules trous situés surtout sur ses feuilles. On peut les voir au microscope.

Les feuilles

On peut classer et reconnaître la feuille
d'un arbre à sa forme : simple ou composée.

les feuilles simples

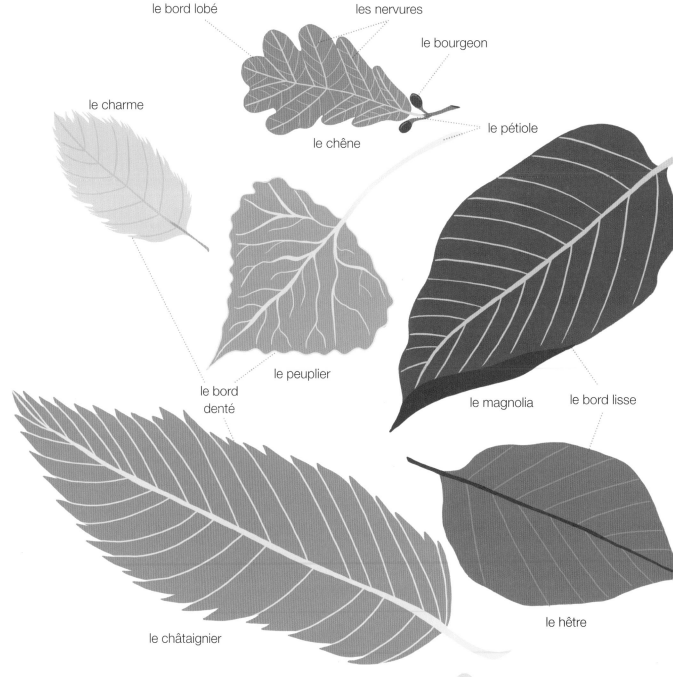

le bord lobé

les nervures

le bourgeon

le charme

le chêne

le pétiole

le peuplier

le bord
denté

le magnolia

le bord lisse

le châtaignier

le hêtre

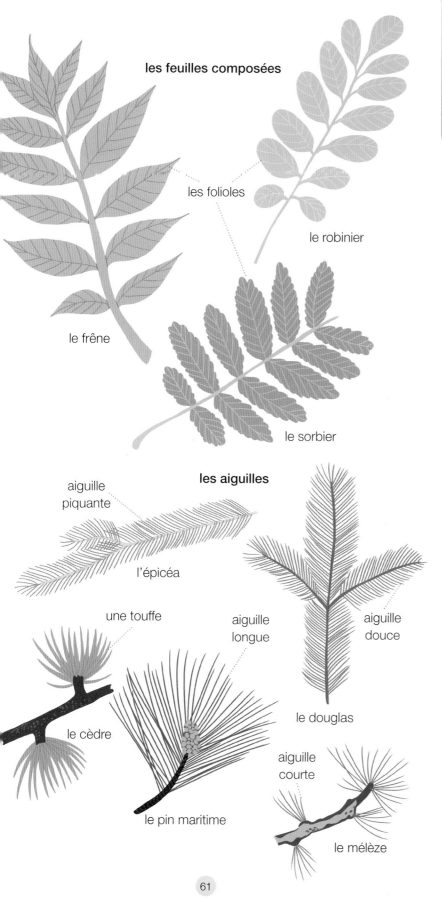

les feuilles composées

les folioles

le robinier

le frêne

le sorbier

les aiguilles

aiguille piquante

l'épicéa

une touffe

aiguille longue

aiguille douce

le douglas

le cèdre

le pin maritime

aiguille courte

le mélèze

En automne, les jours raccourcissent. Les feuilles reçoivent moins de lumière, elles jaunissent ou rougissent.

Puis avec le vent, les feuilles finissent par tomber. À la fin de l'automne, les branches sont presque toutes nues !

La plupart des conifères perdent leurs aiguilles petit à petit. Mais elles sont remplacées par d'autres.

Les forêts **14**
Les familles d'arbres **58**

🍓 Les fruits

Le fruit est la partie de la plante
qui contient une ou plusieurs graines.
Certains se mangent, d'autres non.

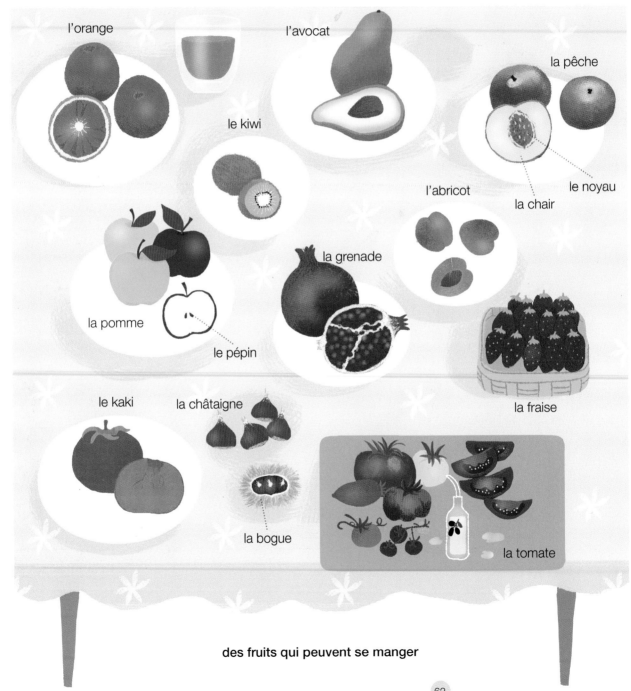

l'orange

l'avocat

la pêche

le kiwi

le noyau

la chair

l'abricot

la grenade

la pomme

le pépin

la fraise

le kaki

la châtaigne

la bogue

la tomate

des fruits qui peuvent se manger

la goyave

la papaye

l'ananas

la mangue

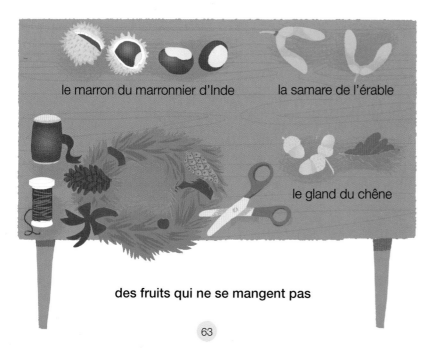

le marron du marronnier d'Inde

la samare de l'érable

le gland du chêne

des fruits qui ne se mangent pas

63

La tomate,
c'est un fruit ou un légume ?

Aimes-tu les légumes ? Un légume est la partie d'une plante que l'on cuisine : son fruit, ses feuilles, ses graines…

La tomate est un légume-fruit. C'est un fruit car elle contient des graines. Et c'est un légume car on la mange préparée.

Sais-tu qu'il existe d'autres sortes de légumes ? Les petits pois sont des légumes-graines. L'artichaut est un légume-fleur.

De la graine à la plante **54**

Le verger **64**

Le verger

Dans le verger, on cultive des arbres pour récolter et manger leurs fruits. Ce sont des arbres fruitiers.

la poire

l'échelle

la prune d'Agen

le fruit encore trop petit

le pommier

le poirier

le prunier d'Agen

le coing

la pêche

le fruit bien mûr

le cueille-fruit

la figue

le cognassier

le pêcher

le panier

le figuier

cueillir les fruits à la main

de la fleur au fruit

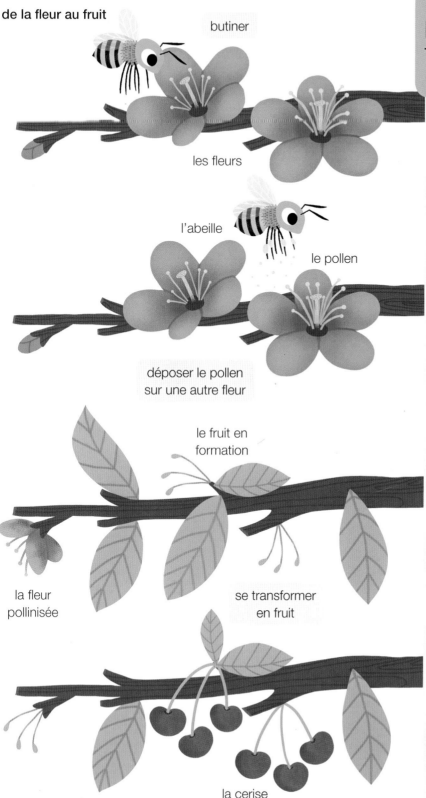

butiner

les fleurs

l'abeille

le pollen

déposer le pollen
sur une autre fleur

le fruit en
formation

la fleur
pollinisée

se transformer
en fruit

la cerise

Sur une tartine de pain, le miel
est un régal. C'est doux et sucré.
Miam! Merci, les abeilles!

L'abeille aspire le nectar
des fleurs. À la ruche, elle
le donne à une autre abeille,
qui le donne à une autre...

La dernière verse ce liquide
dans un petit trou. Les abeilles
recouvrent les trous de cire
quand le miel est prêt.

Les fleurs

La fleur permet à la plante de se reproduire.
Elle est souvent colorée et parfumée.
Il en existe de toutes les tailles.

les fleurs des champs et des bois

la marguerite

le coucou

la jonquille

le liseron des champs

l'ail des ours

le myosotis

le muguet

l'iris

l'hortensia

les fleurs du jardin

la jacinthe

la primevère

la pensée

la tulipe

la passiflore

**les fleurs
exotiques**

l'oiseau
de paradis

le bec-de-
perroquet

l'anthurium

le guzmania

Est-ce que
toutes les fleurs
sentent bon
?

Souvent, on aime le parfum
du muguet, des roses, du lilas
ou de la lavande.

Parfois le parfum des fleurs
est très fort : certains adorent
et d'autres détestent. Chacun
ses goûts.

Il y a aussi des fleurs qui puent !
La rafflésie en Malaisie dégage
une odeur de viande pourrie.
Pouah !

le géranium

le pédoncule

les étamines

les pétales

les sépales

le pistil

la clématite

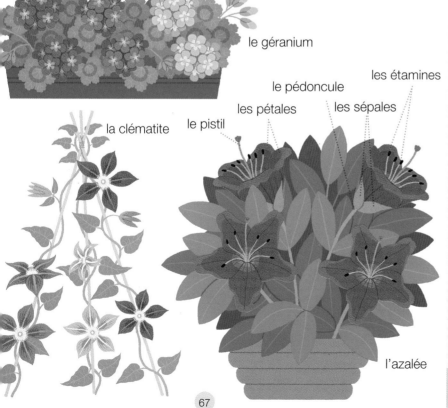

l'azalée

67

✚ Des plantes qui soignent

Avec les plantes, on peut faire des tisanes, des pommades ou des médicaments. Des médecins les utilisent pour soigner des bobos.

les fleurs de camomille

les graines de fenouil

soulager le mal de ventre des bébés

les feuilles et les fleurs de thym

les feuilles d'eucalyptus

soigner le rhume

le rhizome de curcuma

aider à la digestion

les fleurs d'arnica

appliquer en pommade contre les coups

le bulbe d'ail

lutter contre les infections

les fleurs
de lavande

se détendre

les feuilles
de menthe

bien digérer
après un repas

le fruit
d'acerola

prendre
de la vitamine C

la pulpe
d'aloe vera

nourrir
la peau

Est-ce que les champignons sont des plantes ?

Dans la forêt, il y a plein de champignons. Certains, comme les cèpes, se mangent. D'autres sont du poison.

Pour les scientifiques, les champignons ne sont ni des plantes ni des animaux. C'est une catégorie à part.

Les champignons n'ont ni racines, ni feuilles, ni fleurs. Ils se nourrissent des restes de plantes en décomposition.

🌵 Des plantes qui blessent

Pour éloigner les bêtes qui voudraient
les manger et nos mains prêtes à les cueillir,
certaines plantes piquent ou brûlent.

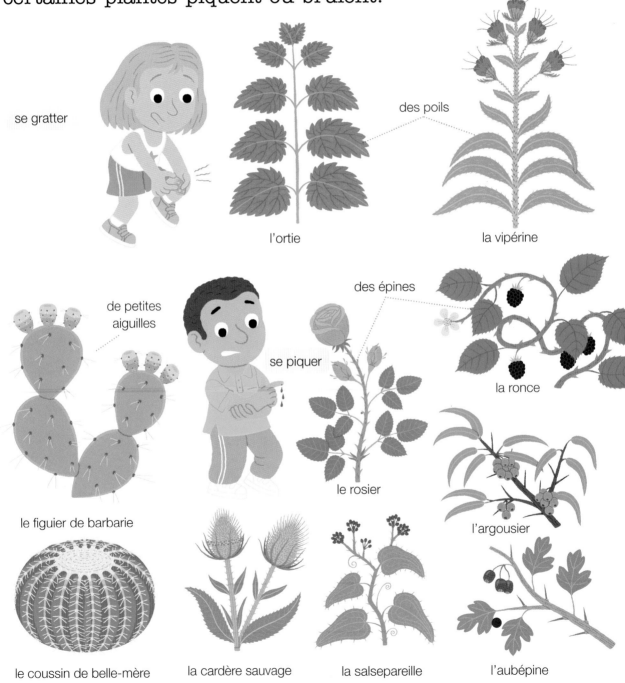

se gratter

l'ortie

des poils

la vipérine

de petites
aiguilles

des épines

se piquer

la ronce

le rosier

le figuier de barbarie

l'argousier

le coussin de belle-mère

la cardère sauvage

la salsepareille

l'aubépine

se brûler

la clématite des haies

le panais sauvage

le houx

des
feuilles
pointues

se faire griffer

le chêne des garrigues

Au potager, le chiendent peut vite prendre toute la place si on ne l'arrache pas.

Il fait partie de ce qu'on appelle les mauvaises herbes, qui poussent là où on ne veut pas d'elles.

Pourtant une herbe « mauvaise », ça n'existe pas ! Chaque plante a son utilité, comme l'ortie qui peut se manger en soupe.

L'agriculture

Les agriculteurs cultivent la terre pour faire pousser des céréales, des fruits, des légumes...

le champ de blé

l'agricultrice

moissonner

la paille

les bottes de paille

le sillon

l'agriculteur

la charrue

le tracteur

labourer

le champ de tournesols

le champ de maïs

la prairie

le troupeau de vaches

le champ de lavande

le champ de colza

la récolte

Tu n'as pas besoin d'un jardin pour faire pousser des tomates, des herbes aromatiques, des fleurs, des salades...

Sur ton balcon, tu peux faire pousser des plantes contre un mur ou encore dans des pots au sol ou suspendus.

Plus les plantes seront variées, plus les oiseaux et les insectes seront nombreux.

À la campagne **10**

Élever des animaux **48**

🍅 Le potager

Pour jardiner, il faut être patient. Mais,
quand l'été arrive, il y a beaucoup de légumes
à récolter sur les plantes ou dans le sol!

des épluchures
de légumes

l'abri de jardin

le compost

le potiron

semer
des graines

récupérer
l'eau de
pluie

des semis

la binette   la grelinette   la fourche-   la serfouette
                                bêche

des pots

le récupérateur
d'eau

planter
des salades

la ciboulette   la menthe   l'oseille

le cresson

la lavande

les radis

la sauge

le persil

le carré potager

74

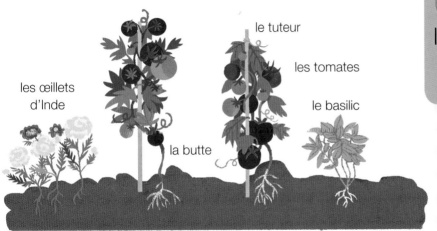

les œillets
d'Inde

le tuteur

les tomates

le basilic

la butte

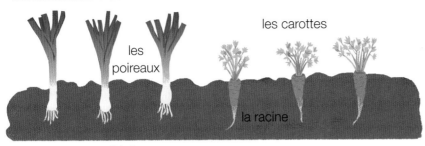

les poireaux

les carottes

la racine

les pommes
de terre

le paillage

les tubercules

les choux

les épinards

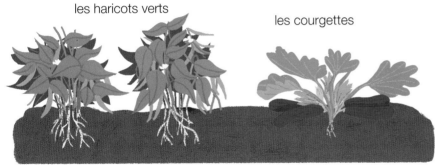

les haricots verts

les courgettes

C'est quoi,
le compost
?

Tu peux jeter les épluchures
de fruits et légumes et
les coquilles d'œufs dans
une poubelle spéciale.

Petit à petit, les déchets vont
pourrir et se décomposer.
Ils vont devenir du compost.

Le compost peut ensuite
être mélangé à la terre.
Il va nourrir les plantes
et les aider à grandir.

Protéger la nature **22**
De la graine à la plante **54**

Avec ton doigt, suis le chemin qui relie chaque arbre à sa feuille ou à ses aiguilles.

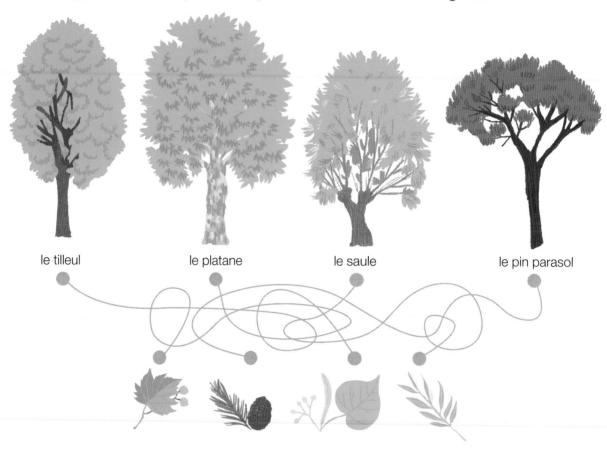

le tilleul   le platane   le saule   le pin parasol

Parmi ces fleurs, lesquelles poussent dans les champs ou les bois?
Lesquelles peux-tu planter dans le jardin? Lesquelles sont exotiques?
Relie chacune à son étiquette.

l'oiseau de paradis   le guzmania   le myosotis   l'iris   le coucou   la tulipe

Montre les fruits qui se mangent et ceux qui ne se mangent pas.
Quel est ton préféré?

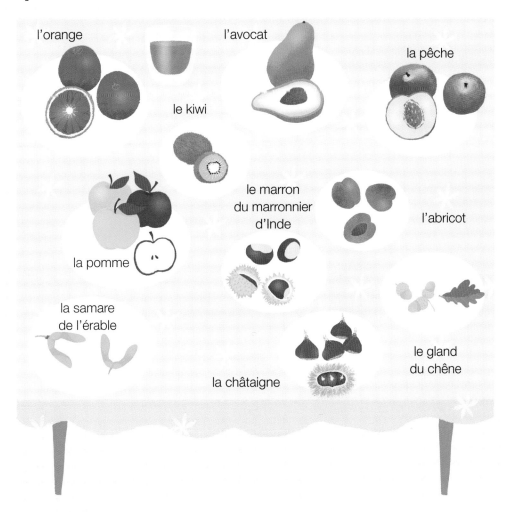

l'orange

l'avocat

la pêche

le kiwi

le marron
du marronnier
d'Inde

l'abricot

la pomme

la samare
de l'érable

le gland
du chêne

la châtaigne

Fais-tu du compost chez toi?
En t'aidant de ces images, explique
comment on fait du compost et à quoi il sert.

Le temps

Les quatre saisons

En France, il y a quatre saisons : le printemps, l'été, l'automne et l'hiver. C'est un pays au climat tempéré.

le printemps

le trambroisier • l'hirondelle • l'escargot • revenir des pays chauds • semer des graines • le fraisier

l'été

les framboises • trouver un amoureux • les fraises • les tomates

l'automne

préparer le départ vers des pays chauds • les citrouilles

l'hiver

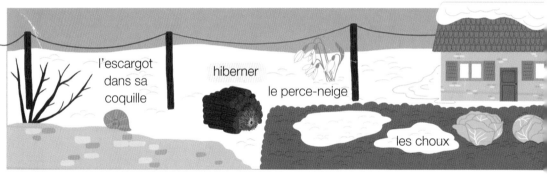

l'escargot dans sa coquille • hiberner • le perce-neige • les choux

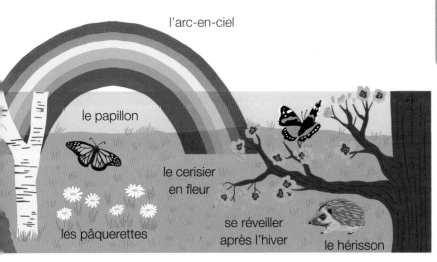

l'arc-en-ciel

le papillon

le cerisier
en fleur

se réveiller
après l'hiver

les pâquerettes

le hérisson

le soleil

l'herbe sèche

cueillir
des cerises

le moustique

le vent

l'écureuil

construire
son nid

le champignon

perdre
ses feuilles

la neige

les bourgeons

les branches

le rouge-
gorge

Comment

prévoit-on
le temps qu'il fait

?

Tu regardes la météo pour savoir s'il fera chaud ou froid. C'est pratique pour choisir ses habits.

En étudiant le ciel, des scientifiques peuvent voir si des nuages pleins de pluie arrivent.

Ils utilisent des images transmises par des satellites, des engins envoyés dans l'espace, qui tournent autour de la Terre.

Les saisons sèche et humide

Près des tropiques, il n'y a que deux saisons :
une saison sèche, où il ne pleut presque pas,
une saison humide avec beaucoup de pluies.

la savane en Afrique

une ville en Asie

se déplacer jusqu'à l'eau

l'herbe sèche

la mare asséchée

saison sèche

l'ombre

saison sèche

des buissons

l'herbe verte

saison humide

la mousson

les inondations

saison humide

une rizière en terrasses en Asie

récolter
le riz

saison sèche

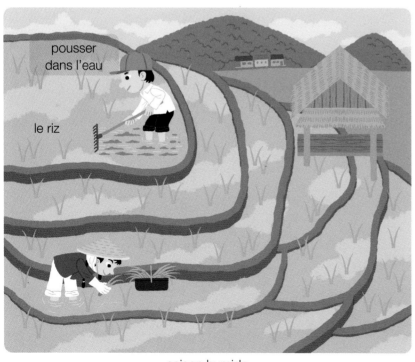

pousser
dans l'eau

le riz

saison humide

Quand il pleut, des gouttes d'eau tombent des nuages. Il faut sortir le parapluie.

Les nuages se forment quand des minigouttes d'eau s'évaporent des océans, des rivières et des lacs.

Quand les gouttes d'eau sont trop nombreuses, trop grosses et trop lourdes, elles tombent! Il pleut.

Les quatre saisons **80**

Le jour, la nuit

Nous sommes actifs le jour et dormons la nuit.
Mais certains animaux font l'inverse :
ils bougent la nuit et se reposent le jour !

le jour

le soleil

jouer

la nuit

les étoiles

la chauve-souris

dormir

allumer la lumière

chasser

le renard

l'écureuil

la martre
des pins

dormir
le jour

le sanglier

le chevreuil

la lune

le hibou

la fouine

le loir

séduire son
amoureux

le ver
luisant

Météo
et climat, c'est la même chose

?

La météo, c'est une science
qui permet de savoir le temps
qu'il fera dans les jours à venir.

On parle de climat quand
on étudie le temps d'une région
ou d'un pays sur plusieurs
années.

Depuis plusieurs années,
le climat change : il se réchauffe.
La température augmente
sur la planète.

❄ La météo

Des scientifiques observent le ciel tous les jours :
ils étudient la météo! Cette science prévoit le
temps qu'il fera : chaud ou froid? Pluie ou soleil?

le beau temps

le pluviomètre

la pluie

la girouette

le vent

le thermomètre

la neige

il fait chaud

il fait froid

la grêle

le brouillard

l'orage

les cumulus

les altocumulus

les cirrus

D'où
vient la neige
?

Quand il neige, tu peux faire des bonshommes de neige, des batailles de boules de neige, de la luge…

Quand il fait trop froid, les gouttelettes d'eau dans les nuages se transforment en flocons de neige.

Mais, s'il fait moins froid, la neige va disparaître : la neige fond quand l'air se réchauffe.

La nature en colère

La saison des cyclones a lieu dans des pays très chauds. Le cyclone est un mur de très gros nuages, qui tourne sur lui-même.

les pluies

la mer chaude

les vents violents

les vagues géantes

les arbres courbés

les voitures renversées

les inondations

le cyclone

s'abriter dans les maisons

les secours

Pourquoi

l'orage fait du bruit

?

Quand il y a un orage, tu vois des éclairs dans le ciel et tu entends le tonnerre. Brr... tu n'aimes pas ce bruit.

L'éclair et le tonnerre arrivent quand une décharge électrique sort soudain d'un nuage.

Plus le temps entre l'éclair et le tonnerre est long, et plus l'orage est loin de toi.

La nature en danger **20**

Voyons voir...

Sur cette image, tu vois que c'est le printemps. Imagine comment serait le jardin en été, puis en automne et, enfin, en hiver. Décris ce qui change à chaque saison.

Regarde bien ces deux images.
Qu'est-ce qui a changé entre la saison humide et la saison sèche?

saison sèche

saison humide

Montre les animaux qui, comme toi, dorment la nuit. Et ceux qui dorment le jour.

le sanglier

l'ócurcuil

le hibou

la fouine

la chauve-souris

le renard

la martre des pins

le chevreuil

Observe chaque image et trouve le temps qu'il fait.
Explique comment tu l'as deviné.

Te souviens-tu du nom de l'instrument qui mesure
la quantité de pluie ? la température ?
Et de celui qui donne la direction du vent ?

Que veut-on dire quand on traite quelqu'un de girouette ?

Ab L'index

A

abeille 23, 31, 46, 65
abricot 62
acerola 69
agneau 49
agriculture 72-73
aigle royal 16
aiglefin 40
aiguille 43, 58, 61
ail 68
ail des ours 66
alevin 28
algue 19
alligator 36
aloe vera 69
altocumulus 87
alyte accoucheur 38
amphibien 23, 38-39
anaconda 37
ananas 63
âne 34
anguille 18, 41
animal 8, 9, 11, 12, 13,
  14, 15, 16, 17, 18, 19,
  21, 26 à 51, 55, 69, 73,
  80, 81, 84, 85
  ori 16-17
anthurium 67
ara rouge 14
arachnide 31
araignée 31, 42, 45
arbre 9, 11, 14, 15, 55,
  56-57, 58-59, 60, 61,
  64, 65, 88
arbuste 12
arc-en-ciel 81
argousier 70
arnica 17, 68
artichaut 63
aselle 18
asile 30

aubépine 70
automne 61, 80-81
avocat 62
azalée 67
azuré de la bugrane 31

B

baleine 35
bardane 55
basilic 75
baudroie 40
bec-de-perroquet 67
bélier 49
blaireau 16, 44
blé 10, 72
boa constrictor 14, 37
bois 10, 11, 66
bouc 49
bouleau 9, 14, 15, 58
bouquetin 17
bourdon 8, 30
bourgeon 56, 60, 81
bouton-d'or 10
brebis 49
brochet 42
broméliacée 14
brouillard 87
bruant zizi 33
buse 32
butiner 65

C

cachalot 35
calmar 28
caméléon 36
camomille 68
campagne 10
campagnol 9
canard 18, 46

capricorne 31
captivité 49
carabe 31
cardère sauvage 70
caribou 15
carotte 75
carpe 18, 41
castor 15
cèdre 15, 59, 61
cèpe 69
céréale 10, 72
cerf 45, 47
cerise 65, 81
cerisier 9, 81
chabot 41
chamois 17
champ 10, 66, 72, 73
champignon 11, 42,
  69, 81
chardon 10
charme 14, 60
chat 29, 46, 48, 49
châtaigne 62
châtaignier 60
chauve-souris 29, 85
chélidoine 13
chêne 14, 15, 45, 55, 57,
  60, 63, 71
chenille 30, 43, 57
cheval 29, 45, 46, 49
chèvre 48
chevreau 49
chevreuil 14, 85
chien 29, 44, 46, 49
chien de berger 49
chiendent 71
chou 75, 80
chouette 57
chouette lapone 15
chrysalide 30
ciboulette 74

ciel 81, 89
cigale 15, 30
cirrus 87
cistude 36
citrouille 80
clématite 67, 71
climat 80, 85
cloporte 43
cobra 37
coccinelle 8, 31
cochon 49
cognassier 64
coing 64
collectionner 15
colza 73
compost 22, 23, 74, 75
conifère 58, 59, 61
coq 46, 48
coquelicot 10
cormoran huppé 19
cornifle 18
coucou 66
couleuvre 15
couleuvre à collier 37
courgette 75
coussin de belle-mère 70
couver 28
crabe 19
crabe violoniste 19
crapaud 46
crapaud commun 38
crapaud d'Amérique 39
cresson 74
crocodile 28
crotale des bambous 37
crotte 37, 44
crottin 45
cumulus 87
curcuma 68
cyclone 88, 89
cyclops 42

cygne 18
cyprès 59

D

danger 20-21, 33, 41
dauphin 29
daurade 40
déchet 20, 21, 22, 75
demoiselle 30
dendrobate 14, 39
dinosaure 37
douglas 61
dugong 35

E

eau 11, 18-19, 23, 35,
  38, 40-41, 54, 55, 74,
  82, 83, 87
  récupérateur 74
éclair 89
écureuil 45, 81, 85
edelweiss 17
éléphant 29, 47
élevage 48-49
empreinte 44-45
épervier 43
épicéa 17, 61
épinard 75
épinette noire 15
érable 15, 63
escargot 8, 28, 42, 45,
  80
espadon 40
étang 18
été 80-81
étoile 85
eucalyptus 68

92